Le nuage bleu

Pour Pascal

ISBN 978-2-211-07041-6
Première édition dans la collection *lutin poche*: février 2003

Titre de l'édition originale: « Die blaue Wolke » (Harper & Row, New York)
Loi numéro 49 956 du 16 juillet 1949 sur les publications
destinées à la jeunesse: septembre 2000
Dépôt légal: octobre 2019
Imprimé en France par Estimprim à Autechaux

Tomi Ungerer

Le nuage bleu

les lutins de l'école des loisirs
11, rue de Sèvres, Paris 6^{e}

Il était une fois
un petit nuage bleu.

Il vivait heureux,
la lune était son amie.

Il ne suivait jamais
les troupeaux de nuages.
Il allait au gré
de ses envies.

Par mauvais temps,
il refusait de se laisser pleuvoir.

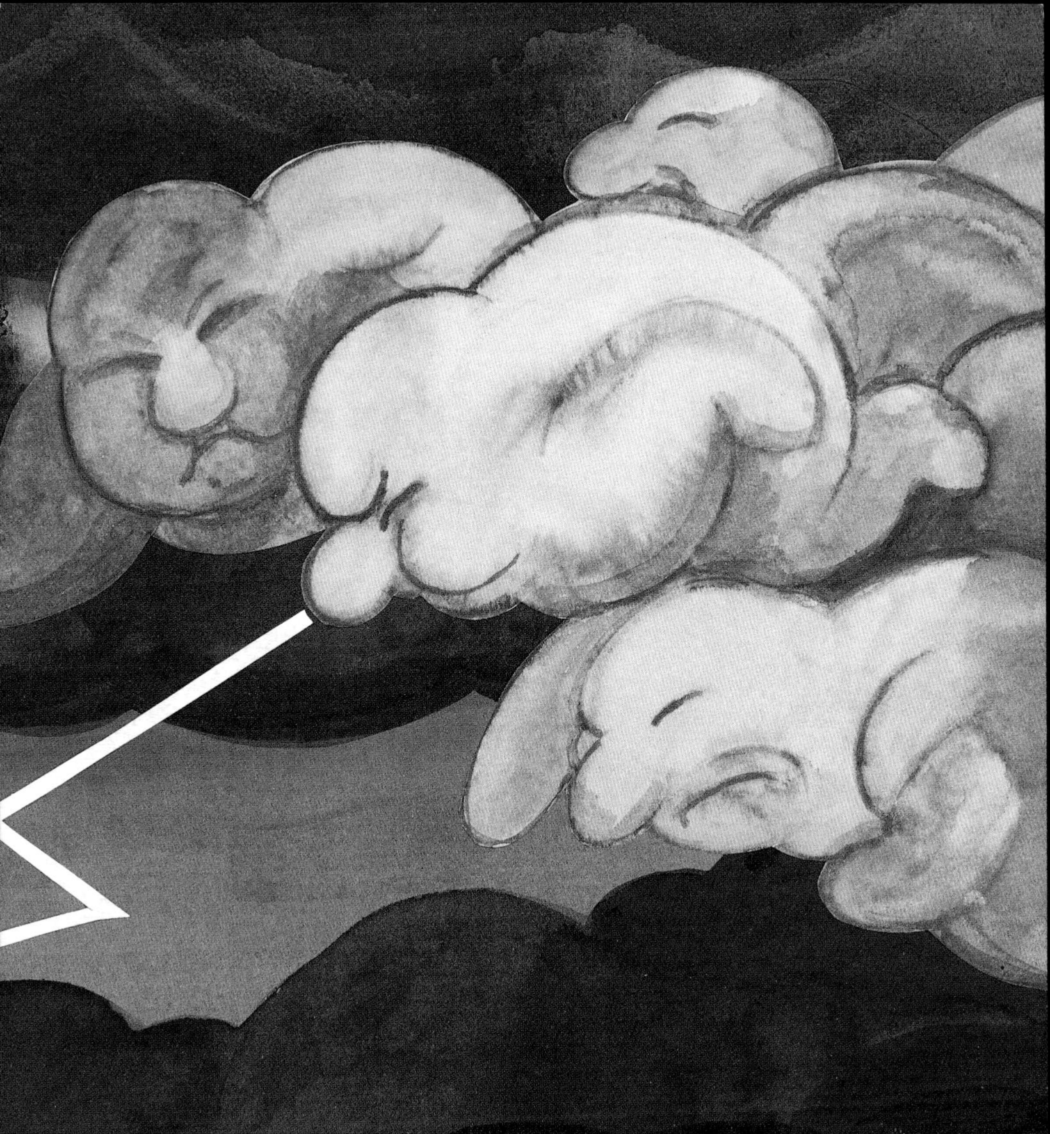

Et pendant les orages, il se moquait
des autres nuages,
qui essayaient de le foudroyer de leurs éclairs.

Les cerfs-volants qui le traversaient
ressortaient tout bleus.

Les oiseaux aussi.

Et même les avions.

Comme il ne pleuvait pas, le nuage bleu
devenait de plus en plus gros.
Curieux de voir le monde, il entreprit un voyage…

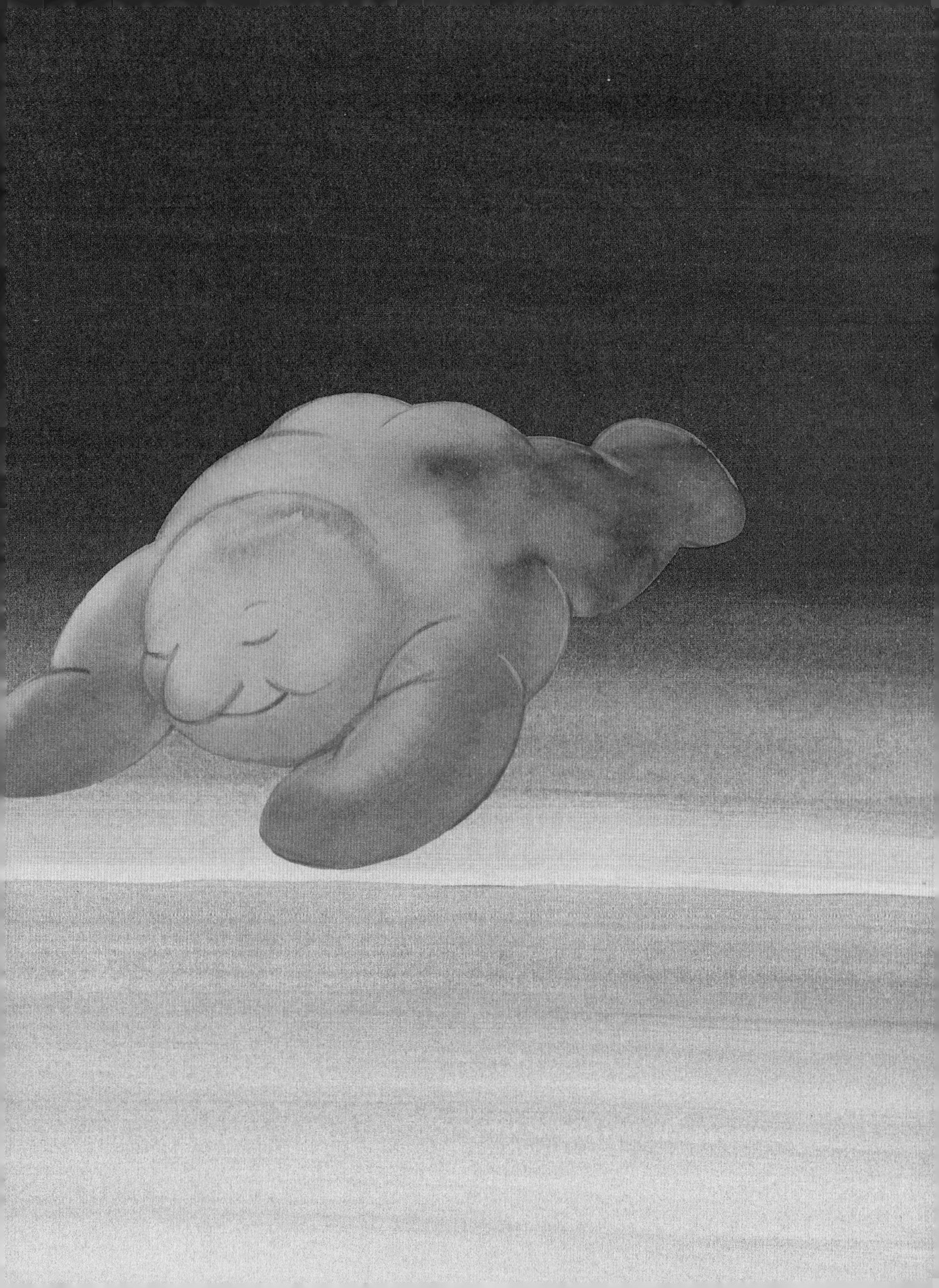

… bleuissant tout sur son passage,
le sommet des montagnes…

… et la pointe des gratte-ciel.

Il devint très célèbre.
Son arrivée, son passage étaient annoncés
dans les journaux et à la télévision.
Il était très à la mode.

Certains voyaient en lui
un messager de l'inconnu.
Il fut bientôt vénéré.

Un jour, tandis qu'il flottait paisiblement
dans l'espace, il vit monter devant lui
un gros nuage de fumée noire.

Intrigué, il s'approcha et découvrit
une ville qui brûlait.

Il s'approcha plus près encore.
Ce n'était que carnages et pillages.
Les blancs tuaient les noirs,
les noirs assassinaient les jaunes,
les jaunes trucidaient les rouges
et les rouges exécutaient les blancs.

Horrifié par tant de violence,
le nuage bleu prit une grande décision.
Pour éteindre le brasier, il se laissa pleuvoir, à verse.
Ce fut un déluge bleu.

Il se vida jusqu'à
la dernière goutte.
Et disparut.

L’averse avait éteint le feu et tout coloré en bleu.
Maintenant, tout le monde était de la même couleur.
La paix fut instantanée.
Et on fit la fête.

Une nouvelle ville émergea des ruines.
Une ville dont les bâtiments
étaient peints en bleu,
en souvenir du nuage bleu
qui s'était sacrifié.

NUAGEBLEUVILLE